Bible Word
SUDOKU

Andrew Briggs

Text copyright © Andrew Briggs 2012
The author asserts the moral right
to be identified as the author of this work

Published by
The Bible Reading Fellowship
15 The Chambers, Vineyard
Abingdon OX14 3FE
United Kingdom
Tel: +44 (0)1865 319700
Email: enquiries@brf.org.uk
Website: www.brf.org.uk
BRF is a Registered Charity

ISBN 978 0 85746 058 5

First published 2012

10 9 8 7 6 5 4 3 2 1 0

The paper used in the production of this publication was supplied by mills that source their raw materials from sustainably managed forests. Soy-based inks were used in its printing and the laminate film is biodegradable.

A catalogue record for this book is available from the British Library

Printed in Singapore by Craft Print International Ltd

Bible Word
SUDOKU

Andrew Briggs

Contents

Introduction

Did you know that Ben Hur is mentioned in the Bible? No, not the character played by Charlton Heston in the 1959 epic film but an important official from the Old Testament. If you didn't know, you are in good company; neither did anyone from the church I attended when I lived in Lancashire.

Every year we had a special fellowship tea and for several years I was asked to organise some entertainment for the adults. I like my games to be informative as well as fun so I organised games based on popular TV quiz shows, and one year I decided to do Christian *Call My Bluff*. This was long before the internet, so I leafed through my rather heavy Young's Concordance (which I still use) looking for obscure words. One that I picked was 'Dekar' (King James Version spelling).

In *Call My Bluff*, one team has to suggest three alternative descriptions or meanings of a word, and the other team has to guess which is correct. The first definition I provided was an obvious pun: it said that 'dekar' was a Roman term for a chariot. The second (the correct) definition was that Ben Dekar was a contemporary of Ben Hur and was an official appointed by King Solomon. The third definition was a little tongue-in-cheek and our minister, in the audience, almost fell off his chair with laughter when he heard it: 'dekar' was an agricultural term that Jesus would have used in his parable of the sower and the seeds, meaning that a field had been raked backwards!

Despite the almost giveaway by the minister, the third definition was chosen as the correct one, as the opposing team couldn't see past the film character to accept the second. (You can read about Ben Hur and Ben Dekar, and the job to which they were appointed, in 1 Kings 4.)

Preparing and solving quizzes like this is a good, fun way of expanding your knowledge of the Bible, its characters and its teachings. Some of the words hidden in these Sudoku problems will be familiar but others will not, and it will be useful to look up the references to the unfamiliar ones and read about them in context.

Often, the apparently obscure can have a lot to teach us. In the 1980s I attended a Navigators course on one-to-one outreach. As an introduction to the course, the Navigators used a character called Shamgar, a judge of Israel (Judges 3:31). Very little is recorded about Shamgar but the message to us was, 'He began where he was, with what he had, and did what he could.' That message has stayed with me and encouraged me for decades. I hope that, as well as having some fun while solving the puzzles, you will be helped and encouraged by looking up and reading about the words in them.

Instructions on how to solve Bible Word Sudoku can be found in the next chapter.

How to solve Word Sudoku

You do not have to be a mathematical genius to solve any standard sudoku. It is a process of logic, not arithmetic.

The standard sudoku uses the numbers 1 to 9 but *any* nine different symbols can be used. (With the numbers 1 to 9 it is usually easier to see what numbers are missing from a square.) As the nine letters in these puzzles form a word or phrase, the letters used will be different for each puzzle, so it would be a good start to write out the nine letters.

Each of the puzzles has a clue and a Bible reference. You may want to find out the word straight away (knowing the word will make it quicker to spot which letters are missing) or you may want to find the word written in the grid once the puzzle is complete (it will be either on a row reading left to right or on a column reading top to bottom).

The clue and reference for this example are: 'They set the rules (though there should be only one)' (James 4:12). The answer is 'Lawgivers' so the nine letters are A E G I L R S V W.

	I	A	L			W	V	R
				G				L
S		V						
	G		R	L				V
I				S	E		A	
					I			W
W			A					
R	L	I			W	G	S	

The aim is to make sure that the nine letters appear exactly once in each row, in each column and in each of the smaller 3 x 3 grids. You should not need to guess at any stage.

Method 1

Consider the top right 3 x 3 grid. Looking at the whole puzzle, you can see that the third row already has a letter S, as does the middle column. If you draw a pencil line through the third row and middle column, you will see that there is only one empty square left, which must therefore contain the letter S.

	I	A	L			W	V	R
					G	**S**		L
S			V					
	G		R	L				V
I				S	E		A	
					I			W
W			A					
R	L	I			W	G	S	

Now, consider the middle bottom 3 x 3 grid. Again, looking at the rest of the puzzle, you can see that the first two columns already have a letter L. The third column only has one empty square, so this must contain the letter L.

	I	A	L			W	V	R
					G	S		L
S			V					
	G		R	L				V
I				S	E		A	
					I			W
W			A		**L**			
R	L	I			W	G	S	

To solve the easy grids, you should not need more than the above strategy (method 1).

Method 2

Look at the bottom left 3 x 3 grid. By use of method 1, you can see that the letter A must occupy one of the two squares indicated on the top row.

Although you don't yet know which of these squares contains the A, you can now see that the top row on the bottom right grid cannot possibly contain an A. The middle row already has an A in the middle 3 x 3 grid, so there is only one square in the bottom right grid for the missing letter A to be placed.

	I	A	L			W	V	R
					G	S		L
S			V					
	G		R	L				V
I				S	E		A	
A	A				I			W
W			A		L			
R	L	I			W	G	S	A

Method 3

Look at the sixth column. There are two unfilled squares at the top of the column. Because you know the nine letters being used, you know that these must be an S and an R. If you look across to the top right 3 x 3 grid, you will see that a letter R already occupies the top row, so the top one of the missing letters must be S and the lower one must be R.

	I	A	L		**S**	W	V	R
				A	G	S		L
S			V		**R**	A		
	G		R	L	A			V
					V			
I				S	E		A	
					I			W
W			A		L			
R	L	I			W	G	S	A

Method 4

Look at the ninth column. There are three letters missing: E, G and I. In the sixth row you can see that E and I have already been placed, so only the letter G can occupy the far right square of the sixth row.

G	I	A	L	E	S	W	V	R
V				A	G	S		L
S		L	V		R	A		
E	G		R	L	A			V
L	A				V			S
I				S	E	L	A	**G**
A			S		I		L	W
W			A		L			
R	L	I			W	G	S	A

Method 5

Consider the fifth row. In the right-hand 3 x 3 grid, the missing two letters must be E and R (although you do not yet know their order). This means that the other three missing letters are G, I and W. The left-hand 3 x 3 grid already contains the letters G and I, so the empty square on the fifth row must contain the letter W.

G	I	A	L	E	S	W	V	R
V				A	G	S		L
S		L	V		R	A		
E	G	S	R	L	A	I	W	V
L	A	**W**			V	ER	ER	S
I				S	E	L	A	G
A			S		I		L	W
W	S		A		L			
R	L	I	E	V	W	G	S	A

You can now complete the puzzle and find the hidden word. If you have not already done so, look up the reference (James 4:12) and see the context in which the word appears.

G	I	A	L	E	S	W	V	R
V	W	R	I	A	G	S	E	L
S	E	L	V	W	R	A	G	I
E	G	S	R	L	A	I	W	V
L	A	W	G	I	V	E	R	S
I	R	V	W	S	E	L	A	G
A	V	E	S	G	I	R	L	W
W	S	G	A	R	L	V	I	E
R	L	I	E	V	W	G	S	A

Note: The answers to the clues can all be found in the New International Version of the Bible unless otherwise indicated.

Easy

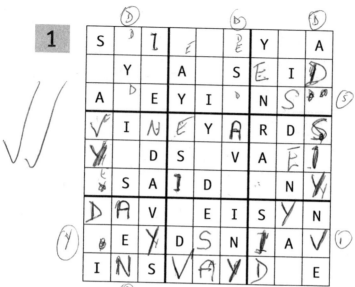

1

S		I			Y		A	
	Y		A		S	E	I	D
A	D	E	Y	I	D	N	S	
	I	N	E	Y	A	R	D	S
		D	S		V	A	E	I
	S	A	I	D			N	Y
D	A	V		E	I	S	Y	N
	E	Y	D	S	N	I	A	V
I	N	S	V	A	Y	D		E

Clue: They grow grapes here.
Psalm 107:37

2

U			C	S	P			E
P	C	R	E	M	U	L	S	V
E	S	E		L		P	U	C
S		U	V	U	C	L	P
		V	P	E	C	S		U
C	U		S	R		V		I
	L	C		C			P	S
	P	C	U		S	E	V	S
R		S	I	P	V	G	C	L

Clue: A precious metal goblet (*two words*).
Genesis 44:2 (RSV)

3

C		D		U	M	S		I
U/M	U/M	N		I		O		
	E	I	D			S	M	U
E	D	U	I	H	C	U	S	M/S
I	C	U	S	M	S		E	N
N	N	S	U	M	D	1		C
D	S	M	N	N	U		I	
N	N	C		D		M	U	S
O			M	S		N	U	D

Clue: A Pharisee who came to Jesus at night.
John 3:1

4

B	R/E	E	A	D	F		S	H
F	S	A	H	E	I	D	R	
	L	H	B	S		F	E	
	I	R	D		B			S
S	F	B					D	R
A	D	B	R		S		H	
	B	I		R	R/D	H	A	A
	A	S	F	B	H	R	I	
R	H	S		I	A	B	B	D

Clue: They will feed a surprisingly large crowd (two words).
Matthew 14:17

5

P	I	Y	O	E		R	H	T
	E	H		R	T	I	Y	C
		T		Y		E	P	O
C	P	R	Y	T	E		O	I
	O	E	R		I	T	C	P
T	H	I	C		P		R	
E	T	C	T	P	Y	O	I	H
H		P	E	I	Y		T	
I	T		H	H	R	P	E	Y

Clue: He does not do what he says.
Matthew 7:5

6

A			N	S			E	P
I		N		P		S		
	S		I		T		Y	
		A				E		S
E	I						T	N
Y		S				A		
	N		S		P		A	
		Y		T		G		E
T	A			G	N			Y

Clue: They suffered ten plagues.
Exodus 7:5

7

W			U			O	A	H
Y	O			H			G	
G		H	S			W		
			R		U	H		S
	H						O	
S		R	H		G			
		G			S	U		W
	Y			U			S	R
R	S	U			A			O

Clue: Uneven routes—shall become smooth (*two words*).
Luke 3:5

8

A					G		O	B
G			N		B			
		L		O	U	G		
B	G	A		R			L	
		O	G		I	R		
	I			B		O	G	U
		G	A	I		B		
			O		R			G
R	N		B					O

Clue: Putting in physical work.
2 Thessalonians 3:8

9

R		P			E		I	A
I				R	N	E		
	E	D	G			N		S
S	P					I		
	D						S	
		G					D	E
P		A			R	D	G	
		E	D	S				N
D	I		P			S		R

Clue: Making widely known.
Mark 1:45

10

G	H		N	E				A
		N		I	G			E
		E				I	N	
	G		E		I			N
I	N						H	R
R			H		N		I	
	P	R				A		
N			G	H		R		
E				P	R		C	H

Clue: Telling out. How else can they hear?
Romans 10:14

11

N	E		H		G			O
	D	R	E				H	I
				D			R	
E				I			N	G
		N	G		E	R		
R	G			N				K
	R			G				
D	N				K	I	E	
O			N		I		G	R

Clue: Jewish ruler at time of Jesus' birth (*two words*).
Matthew 2:3

12

O	L						S	I
I			U	L				C
		N	S	I		L		
				O		C	L	
	R	O	C		E	I	U	
	C	E		U				
		L		N	I	U		
E				R	U			S
R	U						N	L

Clue: The centurion at Caesarea.
Acts 10:1

13

R				C				A
	A	U		P	H		R	
		H		U	R	P	D	
	R	A						
U	E	P				D	S	R
						U	A	
	S	E	D	R		A		
	H		U	E		R	P	
P				H				D

Clue: Bought.
Revelation 5:9

14

S			R		H		A	G
H				S		R		
	U	E		G		T		
E				A				R
	H	D	S		T	G	E	
A				E				H
		U		D		H	S	
		H		T				U
T	S		U		G			E

Clue: Offspring, not sons—but both will prophesy.
Acts 2:17

15

	L	T		R	E			V
	R		V			E	L	
	A				L			I
A		P	T		Y		I	
L								P
	I		R		V	A		L
I			E				V	
	E	L			A		P	
T			L	I		Y	E	

Clue: Not in public.
Matthew 14:13

16

S	D			H	U		I	B
I					P			U
		H			L	P		
E	L	D	U		H			
P								D
			B		D	U	P	L
		U	H			E		
D			S					H
B	H		P	U			L	S

Clue: Put into print.
Daniel 6:10

17

S		E	L		I			T
		L		R	T	W		
	T						G	L
W	N			S				I
	L		W		G		N	
G				L			S	W
E	S						W	
		I	S	N		E		
T			E		L	S		R

Clue: Grappling.
Colossians 4:12

18

H				D	M			S
		D			G	H		
	M	T			O	I	L	
T	I	S		G				
M			O		H			I
				S		L	M	T
	T	M	H			D	I	
		O	G			S		
I			D	L				O

Clue: Uzziel was such a worker in precious metal.
Nehemiah 3:8

P	M		N			E	A	
	S		A		C	N		
I	A					S		C
	P		C					M
		S				A		
A					S		I	
S		A					N	P
		M	P		N		E	
	I	P			M		O	A

Clue: Military sub-divisions.
Judges 7:20

E		L				N		S
	S	A	E	G			D	
R			S				G	A
			A		G	L	E	
	L						A	
	N	D	T		L			
N	A				E			R
	E			A	R	D	N	
D		G				A		E

Clue: Choked.
Acts 15:20

21

I				G			R	E
H			C		R			
		G		I	H	N		
	R	I		A			G	
N		E	G		S	I		H
	H			C		E	S	
		S	R	N		A		
			A		G			I
A	G			E				C

Clue: Looking for.
Luke 2:49

22

A	I	R			D			O
	O		I				K	R
		H		O		A		I
W				A			H	
		I	K		H	N		
	A			I				K
R		O		H		D		
I	N				K		O	
D			O			K	I	A

Clue: Craftsmanship.
Isaiah 19:25

23

O		T		L		A		D
		E	I	T				
L		D				S	E	T
				I			S	
T	E		A		R		L	O
	O			E				
S	T	R				O		L
				A	T	E		
E		A		R		T		I

Clue: They worship images.
1 Corinthians 10:7

24

	C	I		E			S	D
						T	I	
N	O		T		I			
		E	D		R	S		T
		C				E		
R		S	E		T	O		
			O		E		R	N
	R	N						
E	I			R		C	T	

Clue: Principles of religious belief.
1 Timothy 1:3

25

	H		S		E	T		C
C		E						
R			M		C	H	S	
E				A	T		C	
	R	S				A	E	
	C		R	E				T
	N	C	T		R			A
						N		S
H		T	E		N		R	

Clue: They trade goods.
Genesis 37:28

26

T	H		W					D
	W	O	U	H			S	T
			D				H	
			H		S	A	O	U
	A						R	
U	S	W	O		R			
	O				H			
H	T			D	U	S	W	
S					W		T	A

Clue: A cardinal direction.
Deuteronomy 33:23

27

E		U	S				H	T
S			U		T	E		
	T				H			O
	E	S	O		R		T	I
R	U		I		S	G	O	
T			R				G	
		I	H		G			E
U	H				E	O		R

Clue: Of good moral conduct.
Genesis 6:9

28

Y								I
	H		O	D		E	L	
	D	O	E		I	W		
		H	N		D	Y	I	
	E						N	
	Y	N	I		L	H		
		Y	L		W	D	H	
	O	D		N	E		W	
W								Y

Clue: The food of the Baptist (two words).
Mark 1:6

29

W			R			S		C
	S				W	P	H	
H	R	C		S		W		
	I			R				W
		W	H		K	I		
R				I			E	
		R		C		H	S	I
	C	K	S				W	
S		I			R			K

Clue: A disastrous end to a sea voyage.
Ezekiel 27:27

30

N			M				H	C
H	M		C	N	E		V	
			H					
	V			C		H	U	M
	U		V		H		C	
C	H	M		E			N	
					C			
	G		I	H	V		M	U
V	I				M			E

Clue: Provided with a lot (two words).
Revelation 8:3

31

B					E	R	I	O
I			R	V				
S		G	B			V		
G				E		O	V	
	N		O		I		G	
	S	O		B				I
		S			V	I		G
				O	S			V
V	E	I	G					R

Clue: Watching out for or following religious principles.
Luke 1:6

32

H		R	A	O				T
	A		E				H	
		E	V	H		W		A
						H	T	E
E		W				R		V
V	O	T						
A		O		E	W	C		
	E				H		V	
T				C	V	E		W

Clue: Guard, look out for (two words).
Proverbs 4:6

33

O	D						T	I
S				D	T	E		A
	T		I	E				
	A			R		I		
	R	O	M		I	A	S	
		D		A			M	
				I	R		A	
T		S	A	M				E
A	I						D	M

Clue: Intermediaries. (There is only one of these between God and human beings.)
1 Timothy 2:5

34

E			D					G
	G	S	E			U	A	
	N	D	R			E	S	
			A		D	N	R	E
O	E	R	U		N			
	D	E			A	S	G	
	S	O			U	D	E	
G					E			N

Clue: Not safe.
Acts 27:9

35

N	B		U	I		S		L
				B		I		G
G	L		S					
			T		S	L		N
I	M						S	T
L		T	I		N			
					I		B	S
B		S		G				
T		L		S	M		U	I

Clue: Tripping over an obstacle.
1 Corinthians 1:23

36

N		D		U	S		O	I
I					R			
		W	O			F		D
S	R		U		O	W		
D								S
		U	S		W		R	O
U		I			D	S		
			N					R
O	S		F	W		I		N

Clue: A number of air movements (two words).
Mark 13:27

37

P		I						A
		E	I	O				
C			P		L		E	D
		C	A		O	L	I	
	O						P	
	P	S	L		C	A		
O	I		C		P			L
				D	E	O		
E		A				D		P

Clue: Ten cities.
Matthew 4:25

38

R	B			O	N		G	U
N					T			B
		L	B			O		
L	I		N		O	U		
U								N
		B	R		U		I	G
		T			B	I		
I			U					T
B	R		T	I			U	O

Clue: Distressing.
2 Samuel 14:5

39

U		G		A		R		T
	S	T			R		A	
A			L				G	U
	A			S		H		
H			A		U			L
		L		R			T	
T	G				E			A
	L		U			T	E	
R		U		T		L		G

Clue: Killing.
Acts 8:32

40

O			L			D	F	I
L	D	I			R		O	
F			O				E	
	U			O		F		D
			U		F			
I		D		L			C	
	R				O			C
	I		D			O	U	F
U	O	F			C			R

Clue: Pillars to guide in the wilderness (two words).
Exodus 13:21

Moderate

41

R		I			D	S		N
		R						
A		S			E	O		H
I		N		E			D	
			O		I			
	A			H		R		E
O		D	N			E		R
					O			
N		E	D			I		A

Clue: A political Jewish party that favoured Greek customs.
Matthew 22:16

42

	R		B					N
T			M		N	I	E	
N	B							T
	T			M	G			
L	I						T	E
			I	L			R	
R							N	G
	E	B	L		M			R
I					E		B	

Clue: Shaking with fear.
Luke 8:47

43

C					L	R		O
		P			I	S		
M	R			O			C	
R	S		P		M			
		M				A		
			I		R		S	C
	M			I			P	S
		L	O			C		
O		C	R					M

Clue: Declares publically.
Nahum 1:15

44

	N		R		L		O	W
		W			D	U		
D		O	W					
	R	D	O		F			
	W						R	
			L		W	N	D	
					U	E		O
		N	D			F		
E	F		N		O		W	

Clue: This type of counsellor, a title for Jesus.
Isaiah 9:6

45

I					R		T	V
H			I	T				
		E		G	V	S		
E	T	R					O	
		S				T		
	O					H	R	G
		G	S	V		R		
			T		E			I
S	I		G					O

Clue: Responsibility for a place or a group of people.
2 Chronicles 23:18

46

A			Y				S	E
T	M				A		V	
		V		E		T		
	E		V		M			R
		T				E		
N			T		E		Y	
		S		R		A		
	V		N				R	M
R	T				S			V

Clue: Someone who attends me (two words).
Matthew 8:8

47

N	S			G		T		U
	G		T				E	N
M				E				
			S		G		U	
U		S				G		E
	R		U		E			
				S				A
S	U				A	G		
G		R		U			M	T

Clue: Frustrated, Job wanted to fill his mouth with these.
Job 23:4

48

L	I		D		C			A
		G		H				I
				O		N		
A		C		G				O
	G		O		A	L		
O				C		H		G
	C		I					
G				O		I		
I			C		H		G	L

Clue: A necklace of precious metal (*two words*).
Genesis 41:42

49

			D					
	T	D	M		H		E	
		E			P	T	D	
	R	H		U			I	P
			E		I			
D	M			P		E	T	
	D	T	I			P		
	I		R		T	H	U	
				U				

Clue: Achieved success over an enemy.
1 Samuel 17:50

50

E		T		D		S		Y
	S			V			D	
I					A			R
		R		S				
D	E		A		I		R	T
				T		D		
S			Y					V
	I			A			T	
A		D		I		E		S

Clue: A brother is born for a time of this misfortune.
Proverbs 17:17

51

	M	I		L	N	K	Y	
	K				H			
H			Y				I	E
	N			M				K
		M				I		
K				N			H	
Y	H				E			L
			K				E	
	E	K	M	Y		H	O	

Clue: The promised land would be flowing with these (*two words*).
Exodus 3:17

52

	L			U	G	P		
		P		I	R			T
I					T		H	
G	H	T						
Y	I						G	R
						T	L	Y
	Y		L					U
P			U	R		G		
		I	G	T			P	

Clue: (Walking) honourably and honestly.
Isaiah 57:2

53

R	G	L						N
		N				S		R
	K		N		R		A	I
		A		K		I		
			A		S			
		R		I		L		
I	R		L		P		K	
N		P				A		
L						R	I	P

Clue: Glittering.
Ezekiel 1:22

54

O		I						H
		A	D	N	H	I		
	E						N	A
	I		R		D		E	
	C						R	
	H		O		A		C	
N	A						H	
		H	N	A	C	O		
I						N		C

Clue: Cain's first son and grandson (two words).
Genesis 4:17–18

55

O			M			H		A
				O	C	S		
M	A	P				N		
	M		H		P			I
	P			I			N	
S			C		M		H	
		M				I	A	H
		I	P	A				
A		H			O			N

Clue: Those who are very successful in something.
Isaiah 5:22

56

O				R	E			D
		N	I	O				
		Y		D		O	E	
N							S	
Y	O	S				I	R	T
	T							O
	S	D		N		E		
				S	I	D		
E			R	Y				S

Clue: Two coastal towns north of Galilee (two words).
Luke 10:13

57

G		N	R		U		I	
V					I		G	N
			G			E		
N		I					U	
	D	O				N	E	
	U					D		I
		E			R			
U	V		E					R
	N		U		D	O		E

Clue: Eating all that is available.
Malachi 3:11

58

I	G				E	U		A
	U	R			A		M	S
M							N	
G	I			E				
			I		S			
				A			E	I
	M							U
S	R		N			A	I	
U		N	E				G	M

Clue: Finding the distance.
Zechariah 2:1

59

R	S			E	N			P
			L		I	N		E
	N							
E	L			I			P	
K			N		S			R
	R			K			N	L
							E	
I		L	D		E			
N			S	R			I	K

Clue: Scattered in small drops.
Hebrews 9:21

60

A	E				H	L		I
	I	U		E			M	A
T					L		U	
I		T						
	A						E	
						M		U
	T		H					M
U	S			T		E	A	
M		L	A				S	T

Clue: Descendants of Perez.
Numbers 26:21 (NRSV)

61

L				A	Y			T
		D	Y					
	O		L	W			D	
R	A		U				O	
U		T				R		W
	D				R		A	U
	T			O	D		U	
					L	A		
W		O		U				L

Clue: On the exterior.
Romans 2:28

62

		U	P				E	
Y	P		T			H	G	
	G				C			S
		Y	G		S		T	H
S	H		E		T	C		
C			U				S	
	Y	E			G		C	P
	U			Y	G			

Clue: The strength of Thebes (two words).
Nahum 3:8–9

			R		H			
				O		R		
	Y	H		A	F	T		
D		R	U		O			A
	T	O				H	R	
A			T		D	F		O
		T	F	Y		U	H	
		F		D				
			H		T			

Clue: When the lights in the heavens were made (*two words*).
Genesis 1:19

M		N	T	E	P	A		
		A		C				P
C	H							
			E		N	T		C
		M				R		
A		E	R		C			
							N	T
H				T		P		
		T	P	R	A	C		M

Clue: Something that you write on (*singular*).
2 Timothy 4:13

E						S	Y	A
A	B		L			E	P	
Y	M				P			
		P		A			L	
			P		E			
	A			M		P		
			E				A	S
	E	A			L		H	P
P	H	M						L

Clue: Jesus was accused of this religious crime.
Matthew 26:65

More challenging

66

R				E		A		I
	H		M	R			U	
A					H			
		E					B	
T	M						A	U
	A					I		
			E					B
	I			M	B		R	
U		T		I				H

Clue: The lineage of Azmaveth, one of David's mighty men.
2 Samuel 23:31

67

		M	I			E		A
	H		S		E			
	N			F	H			
R					S			I
	E						S	
N			R					F
			M	S			F	
			H		R		A	
H		E			A	I		

Clue: Simon Peter was one (*singular*).
Matthew 4:18

68

C				I				R
	H		S			C	I	
	R	D				E		
			R		A		C	
S								E
	G		C		E			
		S				H	R	
	E	H			R		G	
R				A				C

Clue: To pour out (as from a wound).
Leviticus 15:25

69

	S					N		
			H	I				E
H		A	S			T		
			O		T	E	L	
	T						S	
	E	N	A		I			
		E			N	A		S
A				O	L			
		O					E	

Clue: Solid raindrop.
Joshua 10:11

70

A		P		L				D
	D			G	E		A	
								I
	E		L		I			
P	L						I	A
			A		G		P	
L								
	I		D	S			N	
D				I		P		G

Clue: Earnest appeals (plural).
Proverbs 19:7

71

N	T		R			I		C
				A				Y
I		L				T		
				R				E
	C		I		A		N	
R				N				
		C				Y		T
E				I				
L		I			R		C	A

Clue: Without a doubt.
Mark 9:41

72

I	K			F				A
	R			N			I	K
			K		A			
		A				F		
G	I						K	S
		R				I		
			A		N			
N	G			R			A	
S				K			O	N

Clue: Abandoning or renouncing.
Jeremiah 2:17

73

E		C		S				
K								B
		O	E		A	C		H
				K	C			
C			O		E			R
			A	H				
A		K	C		R	B		
H								K
				A		O		S

Clue: Equine transport.
Esther 6:11

74

	R	B			G		O	U
E							B	
		G		E		H		
G			N					
H	N			U			E	G
					O			R
		N		R		I		
	I							E
R	B		G			N	H	

Clue: He might live next door.
Luke 10:29

75

		R	I			K	T	A
		W			T			H
	K			A				
O	R			F				
		I				O		
				K			A	F
				I			W	
I			R			H		
K	T	H			A	R		

Clue: Contrasting approaches to religion (two words).
Romans 9:32

76

I	A	E			H			N
	R		I				O	T
								I
N			E					
	I		S		N		T	
			O					S
T								
E	H			A		N		
O			T			E	H	R

Clue: Shitrai, a herdsman, was one.
1 Chronicles 27:29

77

E			C			M		R
				E		A		
R	C				Y			
		S		A				E
	Y		S		E		R	
M				Y		C		
			E				P	M
		R		S				
C		A			P			U

Clue: Highest importance.
Colossians 1:18

78

O					W	S	T	
		U		O				
	I	W		S				
	T		G	S		I		
		D			H			
	S		D	H		O		
			W		I	G		
		T		D				
	H	O	G					D

Clue: Immanuel *(three words)*.
Matthew 1:23

79

	K					E		
	C		E		K		L	O
L			A					
	P		O		A	R	E	
	E	R	C		W		O	
					C			A
E	O		R		L		W	
		C					P	

Clue: Where labour happens.
Ruth 2:19

					S		I	
A		G	N		E			
			M	A			N	
G	A					O	E	
		S				N		
	E	O					D	A
	I			O	N			
			I		M	E		O
	D		G					

Clue: Jacob's second and seventh sons (*two words*).
Genesis 35:23, 26

Solutions

Easy

1

S	D	I	N	R	E	Y	V	A
N	Y	R	A	V	S	E	I	D
A	V	E	Y	I	D	N	S	R
V	I	N	E	Y	A	R	D	S
Y	R	D	S	N	V	A	E	I
E	S	A	I	D	R	V	N	Y
D	A	V	R	E	I	S	Y	N
R	E	Y	D	S	N	I	A	V
I	N	S	V	A	Y	D	R	E

2

U	V	L	C	S	P	R	I	E
P	C	R	E	I	U	L	S	V
E	S	I	V	L	R	P	U	C
S	R	E	U	V	I	C	L	P
L	I	V	P	E	C	S	R	U
C	U	P	S	R	L	V	E	I
V	L	U	R	C	E	I	P	S
I	P	C	L	U	S	E	V	R
R	E	S	I	P	V	U	C	L

3

C	O	D	E	U	M	S	N	I
U	M	N	C	I	S	O	D	E
S	E	I	D	O	N	C	M	U
E	D	O	I	N	C	U	S	M
I	C	U	S	M	O	D	E	N
M	N	S	U	E	D	I	O	C
D	S	M	N	C	U	E	I	O
N	I	C	O	D	E	M	U	S
O	U	E	M	S	I	N	C	D

4

B	R	E	A	D	F	I	S	H
F	S	A	H	E	I	D	R	B
I	D	H	B	S	R	F	E	A
H	I	R	D	A	B	E	F	S
S	F	B	I	H	E	A	D	R
A	E	D	R	F	S	B	H	I
E	B	I	S	R	D	H	A	F
D	A	S	F	B	H	R	I	E
R	H	F	E	I	A	S	B	D

5

P	I	Y	O	E	C	R	H	T
O	E	H	P	R	T	I	Y	C
R	C	T	I	Y	H	E	P	O
C	P	R	Y	T	E	H	O	I
Y	O	E	R	H	I	T	C	P
T	H	I	C	O	P	Y	R	E
E	R	C	T	P	Y	O	I	H
H	Y	P	E	I	O	C	T	R
I	T	O	H	C	R	P	E	Y

6

A	Y	T	N	S	G	I	E	P
I	E	N	Y	P	A	S	G	T
P	S	G	I	E	T	N	Y	A
N	G	A	T	I	Y	E	P	S
E	I	P	G	A	S	Y	T	N
Y	T	S	P	N	E	A	I	G
G	N	E	S	Y	P	T	A	I
S	P	Y	A	T	I	G	N	E
T	A	I	E	G	N	P	S	Y

7

W	R	S	U	G	Y	O	A	H
Y	O	A	W	H	R	S	G	U
G	U	H	S	A	O	W	R	Y
A	G	O	R	Y	U	H	W	S
U	H	Y	A	S	W	R	O	G
S	W	R	H	O	G	Y	U	A
H	A	G	O	R	S	U	Y	W
O	Y	W	G	U	H	A	S	R
R	S	U	Y	W	A	G	H	O

8

A	R	N	I	L	G	U	O	B
G	O	U	N	A	B	L	I	R
I	B	L	R	O	U	G	A	N
B	G	A	U	R	O	N	L	I
U	L	O	G	N	I	R	B	A
N	I	R	L	B	A	O	G	U
O	U	G	A	I	N	B	R	L
L	A	B	O	U	R	I	N	G
R	N	I	B	G	L	A	U	O

9

R	N	P	S	D	E	G	I	A
I	G	S	A	R	N	E	P	D
A	E	D	G	I	P	N	R	S
S	P	R	E	A	D	I	N	G
E	D	I	R	N	G	A	S	P
N	A	G	I	P	S	R	D	E
P	S	A	N	E	R	D	G	I
G	R	E	D	S	I	P	A	N
D	I	N	P	G	A	S	E	R

10

G	H	I	N	E	P	C	R	A
A	C	N	R	I	G	H	P	E
P	R	E	A	C	H	I	N	G
C	G	H	E	R	I	P	A	N
I	N	A	P	G	C	E	H	R
R	E	P	H	A	N	G	I	C
H	P	R	C	N	E	A	G	I
N	I	C	G	H	A	R	E	P
E	A	G	I	P	R	N	C	H

11

N	E	I	H	R	G	K	D	O
G	D	R	E	K	O	N	H	I
H	K	O	I	D	N	G	R	E
E	O	D	K	I	R	H	N	G
K	I	N	G	H	E	R	O	D
R	G	H	O	N	D	E	I	K
I	R	E	D	G	H	O	K	N
D	N	G	R	O	K	I	E	H
O	H	K	N	E	I	D	G	R

12

O	L	U	N	E	C	R	S	I
I	S	R	U	L	O	N	E	C
C	E	N	S	I	R	L	O	U
U	I	S	R	O	N	C	L	E
L	R	O	C	S	E	I	U	N
N	C	E	I	U	L	S	R	O
S	O	L	E	N	I	U	C	R
E	N	C	L	R	U	O	I	S
R	U	I	O	C	S	E	N	L

13

R	P	S	E	C	D	H	U	A
D	A	U	S	P	H	C	R	E
E	C	H	A	U	R	P	D	S
S	R	A	P	D	U	E	C	H
U	E	P	H	A	C	D	S	R
H	D	C	R	S	E	U	A	P
C	S	E	D	R	P	A	H	U
A	H	D	U	E	S	R	P	C
P	U	R	C	H	A	S	E	D

14

S	D	T	R	U	H	E	A	G
H	A	G	T	S	E	R	U	D
R	U	E	D	G	A	T	H	S
E	G	S	H	A	D	U	T	R
U	H	D	S	R	T	G	E	A
A	T	R	G	E	U	S	D	H
G	E	U	A	D	R	H	S	T
D	R	H	E	T	S	A	G	U
T	S	A	U	H	G	D	R	E

15

Y	L	T	I	R	E	P	A	V
P	R	I	V	A	T	E	L	Y
V	A	E	P	Y	L	T	R	I
A	V	P	T	L	Y	R	I	E
L	T	R	A	E	I	V	Y	P
E	I	Y	R	P	V	A	T	L
I	Y	A	E	T	P	L	V	R
R	E	L	Y	V	A	I	P	T
T	P	V	L	I	R	Y	E	A

16

S	D	P	E	H	U	L	I	B
I	E	L	D	B	P	S	H	U
U	B	H	I	S	L	P	D	E
E	L	D	U	P	H	B	S	I
P	U	B	L	I	S	H	E	D
H	I	S	B	E	D	U	P	L
L	S	U	H	D	I	E	B	P
D	P	E	S	L	B	I	U	H
B	H	I	P	U	E	D	L	S

17

S	G	E	L	W	I	N	R	T
N	I	L	G	R	T	W	E	S
R	T	W	N	E	S	I	G	L
W	N	T	R	S	E	G	L	I
I	L	S	W	T	G	R	N	E
G	E	R	I	L	N	T	S	W
E	S	G	T	I	R	L	W	N
L	R	I	S	N	W	E	T	G
T	W	N	E	G	L	S	I	R

18

H	O	I	L	D	M	T	G	S
S	L	D	T	I	G	H	O	M
G	M	T	S	H	O	I	L	D
T	I	S	M	G	L	O	D	H
M	D	L	O	T	H	G	S	I
O	G	H	I	S	D	L	M	T
L	T	M	H	O	S	D	I	G
D	H	O	G	M	I	S	T	L
I	S	G	D	L	T	M	H	O

19

P	M	C	N	S	I	E	A	O
O	S	E	A	P	C	N	M	I
I	A	N	M	O	E	S	P	C
E	P	I	C	N	A	O	S	M
M	N	S	O	I	P	A	C	E
A	C	O	E	M	S	P	I	N
S	E	A	I	C	O	M	N	P
C	O	M	P	A	N	I	E	S
N	I	P	S	E	M	C	O	A

20

E	G	L	D	R	A	N	T	S
T	S	A	E	G	N	R	D	L
R	D	N	S	L	T	E	G	A
S	T	R	A	N	G	L	E	D
G	L	E	R	S	D	T	A	N
A	N	D	T	E	L	S	R	G
N	A	T	L	D	E	G	S	R
L	E	S	G	A	R	D	N	T
D	R	G	N	T	S	A	L	E

21

I	S	C	N	G	A	H	R	E
H	E	N	C	S	R	G	I	A
R	A	G	E	I	H	N	C	S
S	R	I	H	A	E	C	G	N
N	C	E	G	R	S	I	A	H
G	H	A	I	C	N	E	S	R
E	I	S	R	N	C	A	H	G
C	N	R	A	H	G	S	E	I
A	G	H	S	E	I	R	N	C

22

A	I	R	H	K	D	W	N	O
N	O	D	I	W	A	H	K	R
K	W	H	R	O	N	A	D	I
W	R	K	N	A	O	I	H	D
O	D	I	K	R	H	N	A	W
H	A	N	D	I	W	O	R	K
R	K	O	A	H	I	D	W	N
I	N	A	W	D	K	R	O	H
D	H	W	O	N	R	K	I	A

23

O	R	T	S	L	E	A	I	D
A	S	E	I	T	D	L	O	R
L	I	D	R	O	A	S	E	T
D	A	L	T	I	O	R	S	E
T	E	I	A	S	R	D	L	O
R	O	S	D	E	L	I	T	A
S	T	R	E	D	I	O	A	L
I	D	O	L	A	T	E	R	S
E	L	A	O	R	S	T	D	I

24

T	C	I	R	E	O	N	S	D
S	E	R	C	D	N	T	I	O
N	O	D	T	S	I	R	E	C
I	N	E	D	O	R	S	C	T
O	T	C	I	N	S	E	D	R
R	D	S	E	C	T	O	N	I
C	S	T	O	I	E	D	R	N
D	R	N	S	T	C	I	O	E
E	I	O	N	R	D	C	T	S

25

N	H	M	S	R	E	T	A	C
C	S	E	A	T	H	R	M	N
R	T	A	M	N	C	H	S	E
E	M	N	H	A	T	S	C	R
T	R	S	N	C	M	A	E	H
A	C	H	R	E	S	M	N	T
S	N	C	T	M	R	E	H	A
M	E	R	C	H	A	N	T	S
H	A	T	E	S	N	C	R	M

26

T	H	S	W	R	O	U	A	D
D	W	O	U	H	A	R	S	T
A	R	U	D	S	T	O	H	W
R	D	T	H	W	S	A	O	U
O	A	H	T	U	D	W	R	S
U	S	W	O	A	R	T	D	H
W	O	A	S	T	H	D	U	R
H	T	R	A	D	U	S	W	O
S	U	D	R	O	W	H	T	A

27

E	G	U	S	R	O	I	H	T
S	O	H	U	I	T	E	R	G
I	T	R	E	G	H	S	U	O
G	E	S	O	H	R	U	T	I
H	I	O	G	T	U	R	E	S
R	U	T	I	E	S	G	O	H
T	S	E	R	O	I	H	G	U
O	R	I	H	U	G	T	S	E
U	H	G	T	S	E	O	I	R

28

Y	L	E	H	W	N	O	D	I
I	H	W	O	D	Y	E	L	N
N	D	O	E	L	I	W	Y	H
L	W	H	N	O	D	Y	I	E
O	E	I	W	Y	H	L	N	D
D	Y	N	I	E	L	H	O	W
E	N	Y	L	I	W	D	H	O
H	O	D	Y	N	E	I	W	L
W	I	L	D	H	O	N	E	Y

29

W	K	P	R	E	H	S	I	C
I	S	E	C	K	W	P	H	R
H	R	C	I	S	P	W	K	E
K	I	H	E	R	S	C	P	W
C	E	W	H	P	K	I	R	S
R	P	S	W	I	C	K	E	H
P	W	R	K	C	E	H	S	I
E	C	K	S	H	I	R	W	P
S	H	I	P	W	R	E	C	K

30

N	E	G	M	V	U	I	H	C
H	M	I	C	N	E	U	V	G
U	C	V	H	I	G	M	E	N
I	V	E	G	C	N	H	U	M
G	U	N	V	M	H	E	C	I
C	H	M	U	E	I	G	N	V
M	N	U	E	G	C	V	I	H
E	G	C	I	H	V	N	M	U
V	I	H	N	U	M	C	G	E

31

B	V	N	S	G	E	R	I	O
I	O	E	R	V	N	G	S	B
S	R	G	B	I	O	V	E	N
G	I	B	N	E	R	O	V	S
R	N	V	O	S	I	B	G	E
E	S	O	V	B	G	N	R	I
O	B	S	E	R	V	I	N	G
N	G	R	I	O	S	E	B	V
V	E	I	G	N	B	S	O	R

32

H	W	R	A	O	C	V	E	T
C	A	V	E	W	T	O	H	R
O	T	E	V	H	R	W	C	A
R	C	A	W	V	O	H	T	E
E	H	W	C	T	A	R	O	V
V	O	T	H	R	E	A	W	C
A	V	O	T	E	W	C	R	H
W	E	C	R	A	H	T	V	O
T	R	H	O	C	V	E	A	W

33

O	D	E	R	S	A	M	T	I
S	M	I	O	D	T	E	R	A
R	T	A	I	E	M	D	O	S
M	A	T	D	R	S	I	E	O
E	R	O	M	T	I	A	S	D
I	S	D	E	A	O	T	M	R
D	E	M	S	I	R	O	A	T
T	O	S	A	M	D	R	I	E
A	I	R	T	O	E	S	D	M

34

E	O	A	D	U	S	R	N	G
R	G	S	E	N	O	U	A	D
U	N	D	R	A	G	E	S	O
S	U	G	A	O	D	N	R	E
D	A	N	G	E	R	O	U	S
O	E	R	U	S	N	G	D	A
N	D	E	O	R	A	S	G	U
A	S	O	N	G	U	D	E	R
G	R	U	S	D	E	A	O	N

35

N	B	M	U	I	G	S	T	L
S	T	U	M	B	L	I	N	G
G	L	I	S	N	T	B	M	U
U	G	B	T	M	S	L	I	N
I	M	N	G	L	B	U	S	T
L	S	T	I	U	N	M	G	B
M	U	G	L	T	I	N	B	S
B	I	S	N	G	U	T	L	M
T	N	L	B	S	M	G	U	I

36

N	F	D	W	U	S	R	O	I
I	O	S	D	F	R	N	W	U
R	U	W	O	I	N	F	S	D
S	R	N	U	D	O	W	I	F
D	W	O	I	R	F	U	N	S
F	I	U	S	N	W	D	R	O
U	N	I	R	O	D	S	F	W
W	D	F	N	S	I	O	U	R
O	S	R	F	W	U	I	D	N

37

P	L	I	E	C	D	S	O	A
S	D	E	I	O	A	P	L	C
C	A	O	P	S	L	I	E	D
D	E	C	A	P	O	L	I	S
A	O	L	D	I	S	C	P	E
I	P	S	L	E	C	A	D	O
O	I	D	C	A	P	E	S	L
L	C	P	S	D	E	O	A	I
E	S	A	O	L	I	D	C	P

38

R	B	I	L	O	N	T	G	U
N	O	U	I	G	T	R	L	B
T	G	L	B	U	R	O	N	I
L	I	G	N	B	O	U	T	R
U	T	R	G	L	I	B	O	N
O	N	B	R	T	U	L	I	G
G	U	T	O	N	B	I	R	L
I	L	O	U	R	G	N	B	T
B	R	N	T	I	L	G	U	O

39

U	H	G	E	A	S	R	L	T
L	S	T	G	U	R	E	A	H
A	R	E	L	H	T	S	G	U
G	A	R	T	S	L	H	U	E
H	T	S	A	E	U	G	R	L
E	U	L	H	R	G	A	T	S
T	G	H	R	L	E	U	S	A
S	L	A	U	G	H	T	E	R
R	E	U	S	T	A	L	H	G

40

O	E	R	L	C	U	D	F	I
L	D	I	E	F	R	C	O	U
F	C	U	O	I	D	R	E	L
R	U	E	C	O	I	F	L	D
C	L	O	U	D	F	I	R	E
I	F	D	R	L	E	U	C	O
D	R	L	F	U	O	E	I	C
E	I	C	D	R	L	O	U	F
U	O	F	I	E	C	L	D	R

Moderate

41

R	O	I	H	A	D	S	E	N
E	N	H	R	O	S	D	A	I
A	D	S	I	N	E	O	R	H
I	S	N	A	E	R	H	D	O
H	E	R	O	D	I	A	N	S
D	A	O	S	H	N	R	I	E
O	H	D	N	I	A	E	S	R
S	I	A	E	R	O	N	H	D
N	R	E	D	S	H	I	O	A

42

M	R	E	B	T	I	L	G	N
T	L	G	M	R	N	I	E	B
N	B	I	G	E	L	R	M	T
B	T	R	E	M	G	N	L	I
L	I	M	N	B	R	G	T	E
E	G	N	I	L	T	B	R	M
R	M	L	T	I	B	E	N	G
G	E	B	L	N	M	T	I	R
I	N	T	R	G	E	M	B	L

43

C	A	S	M	P	L	R	I	O
L	O	P	C	R	I	S	M	A
M	R	I	A	O	S	P	C	L
R	S	A	P	C	M	L	O	I
I	C	M	S	L	O	A	R	P
P	L	O	I	A	R	M	S	C
A	M	R	L	I	C	O	P	S
S	I	L	O	M	P	C	A	R
O	P	C	R	S	A	I	L	M

44

F	N	E	R	U	L	D	O	W
R	L	W	E	O	D	U	F	N
D	U	O	W	F	N	L	E	R
U	R	D	O	N	F	W	L	E
N	W	L	U	D	E	O	R	F
O	E	F	L	R	W	N	D	U
L	D	R	F	W	U	E	N	O
W	O	N	D	E	R	F	U	L
E	F	U	N	L	O	R	W	D

45

I	G	O	H	S	R	E	T	V
H	S	V	I	E	T	O	G	R
T	R	E	O	G	V	S	I	H
E	T	R	V	H	G	I	O	S
G	H	S	R	I	O	T	V	E
V	O	I	E	T	S	H	R	G
O	E	G	S	V	I	R	H	T
R	V	H	T	O	E	G	S	I
S	I	T	G	R	H	V	E	O

46

A	N	R	Y	V	T	M	S	E
T	M	E	S	N	A	R	V	Y
Y	S	V	M	E	R	T	A	N
S	E	Y	V	A	M	N	T	R
V	A	T	R	Y	N	E	M	S
N	R	M	T	S	E	V	Y	A
M	Y	S	E	R	V	A	N	T
E	V	A	N	T	Y	S	R	M
R	T	N	A	M	S	Y	E	V

47

N	S	E	R	G	M	T	A	U
R	G	U	T	A	S	M	E	N
M	T	A	N	E	U	R	S	G
E	N	T	S	R	G	A	U	M
U	M	S	A	N	T	G	R	E
A	R	G	U	M	E	N	T	S
T	E	M	G	S	R	U	N	A
S	U	N	M	T	A	E	G	R
G	A	R	E	U	N	S	M	T

48

L	I	O	D	N	C	G	H	A
C	N	G	A	H	L	O	D	I
D	H	A	G	I	O	L	N	C
A	L	C	H	G	N	D	I	O
H	G	I	O	D	A	C	L	N
O	D	N	L	C	I	H	A	G
N	C	H	I	L	G	A	O	D
G	A	L	N	O	D	I	C	H
I	O	D	C	A	H	N	G	L

49

I	U	M	D	T	E	R	P	H
P	T	D	M	R	H	U	E	I
R	H	E	U	I	P	T	D	M
E	R	H	T	U	D	M	I	P
T	P	U	E	M	I	D	H	R
D	M	I	H	P	R	E	T	U
U	D	T	I	H	M	P	R	E
M	I	P	R	E	T	H	U	D
H	E	R	P	D	U	I	M	T

50

E	V	T	I	D	R	S	A	Y
R	S	A	T	V	Y	I	D	E
I	D	Y	S	E	A	T	V	R
T	A	R	D	S	V	Y	E	I
D	E	S	A	Y	I	V	R	T
V	Y	I	R	T	E	D	S	A
S	T	E	Y	R	D	A	I	V
Y	I	V	E	A	S	R	T	D
A	R	D	V	I	T	E	Y	S

51

O	M	I	E	L	N	K	Y	H
E	K	Y	I	O	H	L	M	N
H	L	N	Y	K	M	O	I	E
I	N	H	O	M	Y	E	L	K
L	Y	M	H	E	K	I	N	O
K	O	E	L	N	I	Y	H	M
Y	H	O	N	I	E	M	K	L
M	I	L	K	H	O	N	E	Y
N	E	K	M	Y	L	H	O	I

52

T	L	Y	H	U	G	P	R	I
H	G	P	Y	I	R	L	U	T
I	R	U	P	L	T	Y	H	G
G	H	T	R	Y	L	U	I	P
Y	I	L	T	P	U	H	G	R
U	P	R	I	G	H	T	L	Y
R	Y	G	L	H	P	I	T	U
P	T	H	U	R	I	G	Y	L
L	U	I	G	T	Y	R	P	H

53

R	G	L	I	S	A	K	P	N
A	I	N	G	P	K	S	L	R
P	K	S	N	L	R	G	A	I
S	P	A	R	K	L	I	N	G
G	L	I	A	N	S	P	R	K
K	N	R	P	I	G	L	S	A
I	R	G	L	A	P	N	K	S
N	S	P	K	R	I	A	G	L
L	A	K	S	G	N	R	I	P

54

O	N	I	A	E	R	C	D	H
C	R	A	D	N	H	I	O	E
H	E	D	C	O	I	R	N	A
A	I	N	R	C	D	H	E	O
D	C	O	E	H	N	A	R	I
R	H	E	O	I	A	D	C	N
N	A	C	I	R	O	E	H	D
E	D	H	N	A	C	O	I	R
I	O	R	H	D	E	N	A	C

55

O	C	S	M	P	N	H	I	A
I	H	N	A	O	C	S	M	P
M	A	P	S	H	I	N	O	C
N	M	O	H	S	P	A	C	I
H	P	C	O	I	A	M	N	S
S	I	A	C	N	M	P	H	O
P	O	M	N	C	S	I	A	H
C	N	I	P	A	H	O	S	M
A	S	H	I	M	O	C	P	N

56

O	I	T	Y	R	E	S	N	D
D	E	N	I	O	S	R	T	Y
S	R	Y	N	D	T	O	E	I
N	D	I	O	T	R	Y	S	E
Y	O	S	D	E	N	I	R	T
R	T	E	S	I	Y	N	D	O
I	S	D	T	N	O	E	Y	R
T	Y	R	E	S	I	D	O	N
E	N	O	R	Y	D	T	I	S

57

G	E	N	R	D	U	V	I	O
V	R	D	O	E	I	U	G	N
O	I	U	G	V	N	E	R	D
N	G	I	D	O	E	R	U	V
R	D	O	I	U	V	N	E	G
E	U	V	N	R	G	D	O	I
D	O	E	V	I	R	G	N	U
U	V	G	E	N	O	I	D	R
I	N	R	U	G	D	O	V	E

58

I	G	S	M	N	E	U	R	A
N	U	R	G	I	A	E	M	S
M	E	A	S	U	R	I	N	G
G	I	U	R	E	M	S	A	N
A	N	E	I	G	S	M	U	R
R	S	M	U	A	N	G	E	I
E	M	I	A	R	G	N	S	U
S	R	G	N	M	U	A	I	E
U	A	N	E	S	I	R	G	M

59

R	S	I	K	E	N	D	L	P
P	D	K	L	S	I	N	R	E
L	N	E	P	D	R	S	K	I
E	L	N	R	I	D	K	P	S
K	I	P	N	L	S	E	D	R
D	R	S	E	K	P	I	N	L
S	P	R	I	N	K	L	E	D
I	K	L	D	P	E	R	S	N
N	E	D	S	R	L	P	I	K

60

A	E	S	M	U	H	L	T	I
L	I	U	S	E	T	H	M	A
T	M	H	I	A	L	S	U	E
I	U	T	E	M	S	A	H	L
H	A	M	U	L	I	T	E	S
S	L	E	T	H	A	M	I	U
E	T	A	H	S	U	I	L	M
U	S	I	L	T	M	E	A	H
M	H	L	A	I	E	U	S	T

61

L	U	R	D	A	O	Y	W	T
T	W	D	Y	R	U	O	L	A
Y	O	A	L	W	T	U	D	R
R	A	Y	U	L	W	T	O	D
U	L	T	O	D	A	R	Y	W
O	D	W	T	Y	R	L	A	U
A	T	L	R	O	D	W	U	Y
D	Y	U	W	T	L	A	R	O
W	R	O	A	U	Y	D	T	L

62

T	S	U	P	G	H	Y	E	C
Y	P	C	T	S	E	H	G	U
E	G	H	Y	U	C	T	P	S
U	E	Y	G	C	S	P	T	H
G	C	T	H	P	U	S	Y	E
S	H	P	E	Y	T	C	U	G
C	T	G	U	H	P	E	S	Y
H	Y	E	S	T	G	U	C	P
P	U	S	C	E	Y	G	H	T

63

F	O	U	R	T	H	D	A	Y
T	A	D	Y	O	U	R	F	H
R	Y	H	D	A	F	T	O	U
D	F	R	U	H	O	Y	T	A
U	T	O	A	F	Y	H	R	D
A	H	Y	T	R	D	F	U	O
O	D	T	F	Y	A	U	H	R
H	U	F	O	D	R	A	Y	T
Y	R	A	H	U	T	O	D	F

64

M	R	N	T	E	P	A	C	H
T	E	A	M	C	H	N	R	P
C	H	P	A	N	R	M	T	E
R	P	H	E	A	N	T	M	C
N	C	M	H	P	T	R	E	A
A	T	E	R	M	C	H	P	N
P	A	R	C	H	M	E	N	T
H	M	C	N	T	E	P	A	R
E	N	T	P	R	A	C	H	M

E	P	L	B	H	M	S	Y	A
A	B	H	L	Y	S	E	P	M
Y	M	S	A	E	P	L	B	H
M	Y	P	S	A	B	H	L	E
H	S	B	P	L	E	A	M	Y
L	A	E	H	M	Y	P	S	B
B	L	Y	E	P	H	M	A	S
S	E	A	M	B	L	Y	H	P
P	H	M	Y	S	A	B	E	L

More challenging

66

R	T	M	B	E	U	A	H	I
I	H	B	M	R	A	E	U	T
A	E	U	I	T	H	B	M	R
H	U	E	T	A	I	R	B	M
T	M	I	R	B	E	H	A	U
B	A	R	H	U	M	I	T	E
M	R	A	E	H	T	U	I	B
E	I	H	U	M	B	T	R	A
U	B	T	A	I	R	M	E	H

67

S	F	M	I	R	N	E	H	A
I	H	A	S	M	E	F	N	R
E	N	R	A	F	H	S	I	M
R	A	F	E	H	S	N	M	I
M	E	I	N	A	F	R	S	H
N	S	H	R	I	M	A	E	F
A	R	N	M	S	I	H	F	E
F	I	S	H	E	R	M	A	N
H	M	E	F	N	A	I	R	S

68

C	S	A	E	I	H	G	D	R
G	H	E	S	R	D	C	I	A
I	R	D	A	G	C	E	S	H
E	D	I	R	H	A	S	C	G
S	A	C	G	D	I	R	H	E
H	G	R	C	S	E	I	A	D
A	C	S	D	E	G	H	R	I
D	E	H	I	C	R	A	G	S
R	I	G	H	A	S	D	E	C

69

E	S	I	L	T	A	N	H	O
L	N	T	H	I	O	S	A	E
H	O	A	S	N	E	T	I	L
I	A	H	O	S	T	E	L	N
O	T	L	N	E	H	I	S	A
S	E	N	A	L	I	O	T	H
T	L	E	I	H	N	A	O	S
A	I	S	E	O	L	H	N	T
N	H	O	T	A	S	L	E	I

A	S	P	I	L	N	E	G	D
I	D	L	S	G	E	N	A	P
N	G	E	P	A	D	S	L	I
G	E	A	L	P	I	D	S	N
P	L	D	E	N	S	G	I	A
S	N	I	A	D	G	L	P	E
L	P	N	G	E	A	I	D	S
E	I	G	D	S	P	A	N	L
D	A	S	N	I	L	P	E	G

N	T	Y	R	L	E	I	A	C
C	E	R	T	A	I	N	L	Y
I	A	L	N	C	Y	T	E	R
Y	I	N	C	R	L	A	T	E
T	C	E	I	Y	A	R	N	L
R	L	A	E	N	T	C	Y	I
A	R	C	L	E	N	Y	I	T
E	Y	T	A	I	C	L	R	N
L	N	I	Y	T	R	E	C	A

72

I	K	G	O	F	R	N	S	A
A	R	F	G	N	S	O	I	K
O	N	S	K	I	A	G	F	R
K	S	A	N	G	I	F	R	O
G	I	N	R	O	F	A	K	S
F	O	R	S	A	K	I	N	G
R	F	O	A	S	N	K	G	I
N	G	K	I	R	O	S	A	F
S	A	I	F	K	G	R	O	N

73

E	H	C	B	S	K	R	A	O
K	R	A	H	C	O	S	E	B
S	B	O	E	R	A	C	K	H
O	E	S	R	K	C	H	B	A
C	A	H	O	B	E	K	S	R
R	K	B	A	H	S	E	O	C
A	S	K	C	O	R	B	H	E
H	O	R	S	E	B	A	C	K
B	C	E	K	A	H	O	R	S

74

N	R	B	I	H	G	E	O	U
E	H	U	O	N	R	G	B	I
I	O	G	U	E	B	H	R	N
G	U	R	N	B	E	O	I	H
H	N	O	R	U	I	B	E	G
B	E	I	H	G	O	U	N	R
O	G	N	E	R	H	I	U	B
U	I	H	B	O	N	R	G	E
R	B	E	G	I	U	N	H	O

75

H	F	R	I	W	O	K	T	A
A	I	W	K	R	T	F	O	H
T	K	O	F	A	H	W	I	R
O	R	K	A	F	I	T	H	W
F	A	I	T	H	W	O	R	K
W	H	T	O	K	R	I	A	F
R	O	F	H	I	K	A	W	T
I	W	A	R	T	F	H	K	O
K	T	H	W	O	A	R	F	I

76

I	A	E	O	T	H	S	R	N
S	R	N	A	I	E	H	O	T
H	T	O	N	S	R	A	E	I
N	O	S	I	E	T	R	A	H
A	I	H	S	R	N	O	T	E
R	E	T	H	O	A	N	I	S
T	N	R	E	H	O	I	S	A
E	H	I	R	A	S	T	N	O
O	S	A	T	N	I	E	H	R

77

E	A	Y	C	P	S	M	U	R
S	U	P	R	E	M	A	C	Y
R	C	M	A	U	Y	P	E	S
U	R	S	P	A	C	Y	M	E
A	Y	C	S	M	E	U	R	P
M	P	E	U	Y	R	C	S	A
Y	S	U	E	C	A	R	P	M
P	M	R	Y	S	U	E	A	C
C	E	A	M	R	P	S	Y	U

78

O	U	H	I	D	W	S	T	G
D	G	S	U	T	O	W	H	I
T	I	W	H	S	G	O	D	U
H	T	U	O	G	S	D	I	W
G	O	D	W	I	T	H	U	S
W	S	I	D	H	U	G	O	T
U	D	T	S	W	H	I	G	O
I	W	G	T	O	D	U	S	H
S	H	O	G	U	I	T	W	D

79

P	K	O	L	C	R	E	A	W
R	C	A	E	W	K	P	L	O
L	W	E	A	O	P	C	K	R
C	P	W	O	L	A	R	E	K
O	A	L	K	R	E	W	C	P
K	E	R	C	P	W	A	O	L
W	L	K	P	E	C	O	R	A
E	O	P	R	A	L	K	W	C
A	R	C	W	K	O	L	P	E

M	N	D	O	G	S	A	I	E
A	S	G	N	I	E	D	O	M
E	O	I	M	A	D	S	N	G
G	A	N	D	M	I	O	E	S
D	M	S	A	E	O	N	G	I
I	E	O	S	N	G	M	D	A
S	I	M	E	O	N	G	A	D
N	G	A	I	D	M	E	S	O
O	D	E	G	S	A	I	M	N

80 Bible Puzzles

Crosswords, word searches, maze puzzles and much more!

Tony Spiller

This Bible-based puzzle book contains 80 brand new brain-teasers using a range of different formats. Inside you will find a selection of crosswords, word searches and fill-in puzzles, as well as multiple choice, maze puzzles and magic squares. And don't worry—you'll find the solutions at the back if you get stuck!

ISBN 978 1 84101 879 9   £6.99
Available from your local Christian bookshop or, in case of difficulty, direct from BRF: please visit www.brfonline.org.uk.